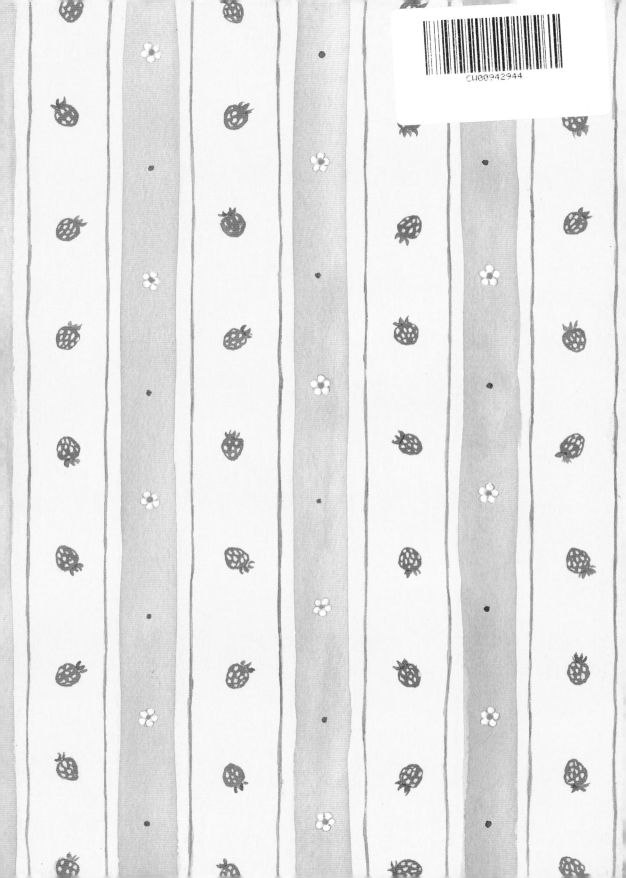

Stefanie Dahle

Erdbeerinchen
Erdbeerfee

Zauberhafte Geschichten
aus dem Erdbeergarten

Stefanie Dahle
wurde 1981 in Schwerin geboren und hat schon als Kind
viele Stunden damit verbracht, Bilderbücher anzuschauen
oder Zimmerwände zu bemalen. An der HAW Hamburg hat
sie dann Illustration studiert – und gestaltet heute selbst
fantasievolle und wunderschöne Bilderbuchwelten, in die man
sich stundenlang hineinträumen kann. Seit 2007 arbeitet sie
exklusiv für den Arena Verlag.

Stefanie Dahle

Erdbeerinchen Erdbeerfee

Zauberhafte Geschichten aus dem Erdbeergarten

Arena

6. Auflage 2015
© Arena Verlag GmbH, Würzburg 2013
Alle Rechte vorbehalten
Einband und Illustrationen: Stefanie Dahle
Gesamtherstellung: Westermann Druck Zwickau GmbH
ISBN 978-3-401-70394-7

www.arena-verlag.de

Das gleichnamige Hörbuch ist bei Arena Audio erschienen.

Inhalt

Der Dieb

Immer wenn es heiß ist, machen Erdbeerinchen Erdbeerfee und Bibo Schmetterling einen Badeausflug zum Froschteich. »Fang mich!«, ruft Bibo und gleitet vom höchsten Ast sanft über die Wasseroberfläche. »Oh, ich krieg dich!«, kreischt Erdbeerinchen ausgelassen und hüpft ihm nach.

Dann planscht die kleine Erdbeerfee gemütlich auf ihrem Seerosenblatt und Bibo lässt sich vom Wind treiben. Die Insekten dösen träge im Gras. Eine Wolke zieht über den Himmel und plötzlich ist den Freunden kühl. Erdbeerinchen hüpft aus dem Wasser.

»Nanu? Wo ist denn mein Kleid?«, wundert sich die Erdbeerfee.

»Weiß nicht ...«, überlegt Bibo. »Wo hast du es denn hingelegt?«

Erdbeerinchen hüpft um einen großen Stein herum. »Es lag hier obendrauf«, bibbert sie.

Die beiden Freunde suchen in der Wiese, unter den Büschen und hinter dem Baum. Doch Erdbeerinchens Kleid finden sie nicht. Die Erdbeerfee muss im Unterhemd nach Hause flattern.

Bibo möchte Erdbeerinchen trösten. »Gleich kannst du dir ein anderes Kleid anziehen«, sagt er.

»Kann ich nicht«, jammert Erdbeerinchen. »Eine Erdbeerfee hat nur ein einziges Kleid! Ihr Erdbeerkleid!«

Als die beiden endlich an Erdbeerinchens Erdbeergarten ankommen, bleibt Bibo verdattert in der Luft schweben. »Duck dich!«, zischt er und zupft an Erdbeerinchens Unterhemd.

»Was ist denn los?«, ruft die Erdbeerfee verwundert. Sie versteckt sich erschrocken hinter einem Busch. Und da sieht sie es: Die Küchenschabe Edda sitzt auf Erdbeerinchens Gartenbank vor der Teekanne und sonnt sich den Bauch. Und ihr Bauch steckt in Erdbeerinchens Erdbeerkleid!

Erdbeerinchen schnappt nach Luft. »So eine Gemeinheit!«, ruft sie wütend.

Da schaut Heidi, die Blaubeerfee, über den Gartenzaun. »Guten Morgen, Erdbeerinchen!«, ruft Heidi der Schabe zu. Denn die Blaubeerfee bemerkt gar nicht, dass dort die Schabe Edda sitzt.

Die Küchenschabe im Erdbeerkleid winkt und grunzt: »Guten Morgen, liebe Heidi!«

»Also wirklich!«, flüstert Erdbeerinchen empört.

Doch dann sagt Bibo: »Oh nein! Guck mal! Sie hat deinen Zauberstab!«

Die Schabe fuchtelt mit Erdbeerinchens Zauberstab über den Erdbeeren herum. Erdbeerinchen wird vor Schreck ganz blass um die Nase.

»Was machst du da?«, fragt Heidi die Schabe.

»Erdbeerpflege!«, grunzt Edda. Sie schwingt den Zauberstab und plötzlich werden alle Erdbeeren braun. »Ah!«, kreischt Erdbeerinchen erschrocken. Bibo hält ihr schnell mit den Fühlern den Mund zu. »Pssst!«

Auch Heidi Blaubeerfee wundert sich. »Braune Erdbeeren? Wo gibt es denn so was?«

»Das ist jetzt modern!«, grunzt die Schabe.

Als es Abend wird, verschanzt sich Edda in Erdbeerinchens Teekanne. Erdbeerinchen wird furchtbar traurig. »Die liegt jetzt in meinem Bett!«, jammert sie. »Was sollen wir nur tun?«

Doch Bibo hat eine Idee. »Wir brauchen eine Notkonferenz mit den anderen Feen!«, erklärt er. Sofort flattert er los.

Es ist nun schon tiefe Nacht. Trotzdem versammeln sich nach und nach alle Feen aus den Feengärten auf der großen Lichtung. »Was ist denn passiert?«, säuseln sie erschrocken.

Erdbeerinchen erzählt ihnen von der Küchenschabe Edda im Erdbeerkleid. Heidi Blaubeerfee schämt sich, weil sie die freche Schabe in Erdbeerinchens Kleid nicht erkannt hat. »Ich weiß, warum Edda sich als Erdbeerinchen ausgibt!«, ruft sie. »Alle mögen Erdbeerinchen! Eine Schabe mag niemand!«

»Das ist aber traurig!«, sagt Erdbeerinchen betrübt.

Jetzt spricht die Feenkönigin. »Sorge dich nicht«, sagt sie zu Erdbeerinchen, »ich habe eine Idee!«

Am nächsten Morgen ist Wochenmarkt im Obstgarten. Alle Feen haben sich mit ihren Waren versammelt und warten. Endlich kommt auch die Küchenschabe Edda mit Erdbeerinchens braunen Erdbeeren. Die Feenkönigin gibt ein Zeichen. Da schnattern die Feen los. »Habt ihr in letzter Zeit eigentlich diese kleine nette Schabe gesehen? Sie wohnt in der Limonaden-Dose am Teich!«, sagt Kira, die Kirschenfee, laut.

»Leider nicht! Sie war immer so freundlich!«, bestätigt Bruni Brombeerfee.

»Und ihre Fühler glänzen so hübsch!«, ruft Heidi Blaubeerfee.

Alle sehen jetzt die Schabe im Erdbeerkleid an. »Stimmt doch, Erdbeerinchen, oder?«

»Ähm ...«, grunzt die Schabe verlegen.

Am nächsten Tag liegen Erdbeerinchens Erdbeerkleid und der Zauberstab auf der Gartenbank vor Erdbeerinchens Teekanne. Auf der Bank liegt ein Zettel.

Liebes Erdbeerinchen,
ich habe Dein Kleid stibitzt und es tut mir ganz doll leid.
Bitte verzeih mir!
Deine Schabe Edda

Daneben liegt eine Tüte Bonbons. Die hat die Schabe selbst gemacht.

Noch in der Nacht braut Erdbeerinchen einen leckeren Erdbeerpunsch. Denn am nächsten Tag will sie ihre neue Freundin, die Küchenschabe Edda, besuchen.

Ein Raumschiff für Rudi

Am Morgen ist Erdbeerinchen Erdbeerfee zu Besuch bei Rudi, der Schnecke. Es gibt ein leckeres Frühstück mit Löwenzahnhonig und Wildblumentee.

»Hmm!« Erdbeerinchen reibt sich den Bauch. Das war lecker!

»Sag mal, Rudi, was funkelt denn dahinten immerzu?«, fragt die Erdbeerfee und deutet ins hohe Gras. Auch Rudi schaut dorthin.

Es ist groß und glänzt silbern, wie ein Stück Blech. »Oh!«, ruft Rudi aufgeregt. »Ich weiß, was das ist!« So schnell er kann, springt er auf und schneckt zu dem Funkel-Blech.

»Was ist es denn?« Erdbeerinchen flitzt ihm nach.

»Das stammt von einem Raumschiff!«, seufzt Rudi und streicht verzückt mit dem Fühler darüber. »Das müssen die Außerirdischen verloren haben.« Wie zum Beweis stupst er mit der Nase dagegen und es lärmt und knistert laut. »Siehst du?«

»Unsinn, Rudi«, meint Erdbeerinchen. »Es gibt keine Raumschiffe!«

Doch Rudi ist sich sicher. »Gibt es wohl!«, behauptet er.

Erdbeerinchen hilft der Schnecke, das wertvolle Blech in ihrer Teekanne unterzustellen. Wenn die Außerirdischen es wirklich verloren haben, brauchen sie es vielleicht noch.

Von nun an sitzt Rudi jeden Tag in der Wiese und wartet und wartet.

»Worauf wartest du?«, will Erdbeerinchen wissen.

»Na auf das Raumschiff«, sagt Rudi genervt. Wieder guckt die Schnecke in den Himmel. »Hast du denn keinen Hunger?«, fragt Erdbeerinchen. Sie hält Rudi einen frisch gebackenen Kräutermuffin hin. Rudi hat seit drei Tagen nichts gegessen!

Doch die Schnecke schüttelt den Kopf. »Ich muss aufpassen! Sonst verpasse ich vielleicht etwas.«

Am Abend ist Erdbeerinchen sehr besorgt. Bibo, der Schmetterling, sitzt auf ihrer Schulter. »Meinst du wirklich, in unserem Garten landen Außerirdische?«, flüstert sie ihrem Freund zu. »Quatsch!«, raunt Bibo. »Ich weiß, was das für ein Blech ist. Es heißt Alufolie! Die Menschen wickeln alles Mögliche damit ein.«

Die kleine Erdbeerfee lässt seufzend den Kopf hängen. »Ach je! Das habe ich mir schon gedacht.«

»Meinst du, wir sollten es Rudi sagen?«, fragt Bibo.

Doch Erdbeerinchen schüttelt ihre Locken. Das bringt sie nicht über ihr Herz. Entschlossen schnappt sie sich eine Flasche Erdbeerlimonade und setzt sich in ihr Schaukelblatt. Mit Erdbeerlimonade lässt es sich am besten nachdenken.

»Ich weiß, was wir machen!«, jubelt Erdbeerinchen endlich. Sie flüstert dem Schmetterling etwas ins Ohr. Bibo kichert. »Das ist eine tolle Idee!«

Bibo sammelt große Haselnussblätter und Erdbeerinchen hat ein paar leichte Zweige gefunden. Daraus lässt sich prima etwas basteln, das wie eine riesige Schüssel aussieht. Zum Schluss schneidet Erdbeerinchen noch einige kleine Fensterchen in die Blätter-Schüssel und Bibo baut oben einen Tragegriff an.

Prüfend geht Erdbeerinchen um ihr Werk herum. »Ja, das ist toll!«, gluckst sie zufrieden.

Als es Abend wird, pfeift die kleine Erdbeerfee laut und von überall her fliegen kleine Glühwürmchen herbei. Dann weckt sie leise ihre Freundin Suse.

Suse ist eine Fledermaus.

Gemeinsam warten alle, bis es stockdunkel ist. »Jetzt!«, flüstert Erdbeerinchen. Die kleinen Glühwürmchen wackeln mit ihren Käferpopos, bis sie plötzlich hell leuchten. Dann krabbeln sie nacheinander in die Schüssel mit den kleinen Fenstern.

Jetzt packt die Fledermaus die Blätter-Schüssel am Henkel und spannt ihre Flügel auf. Erdbeerinchen hält den Atem an. Suse flattert los und fliegt einen großen Bogen über der Wiese, in der Rudi wartet.

Auch Bibo macht große Augen. Von hier unten sieht die Schüssel wirklich aus wie ein echtes fliegendes Raumschiff. Und weil Suse schwarz ist, ist sie am Nachthimmel gar nicht zu sehen.

Der Wind fegt über die Wiese und da kommt Suse. Sie flattert dicht über den Grashalmen.

Erdbeerinchen und Bibo haben sich auf einem Baum versteckt und beobachten alles. Rudi hebt den Kopf und endlich sieht er Erdbeerinchens selbst gebautes Raumschiff. »Außerirdische!«, jauchzt er laut und deutet in den Himmel.

Erdbeerinchen und Bibo verkneifen sich ein Kichern. Dann beeilen sich die Freunde und flitzen eilig zurück nach Hause. Zum Glück sind sie schneller als Rudi.

Am nächsten Morgen kommt Rudi prustend bei Erdbeerinchens Teekanne an. Er ist überglücklich. »Erdbeerinchen!«, strahlt er. »Stell dir vor! Ich habe das Raumschiff gesehen!«

Erdbeerinchen grinst. »Ich weiß«, sagt sie. »Es hat das Blech bei mir abgeholt!«

»Wirklich?«, freut sich Rudi. »Ich wusste es!«

Dann erzählt Rudi Erdbeerinchen alle Raumschiffgeschichten, die er kennt. Denn nun weiß er ja, dass sie wirklich wahr sind.

Teekränzchen im Mäusehaus

Der erste Schnee fällt. Und an den Ästen der Sträucher hängen lange Eiszapfen. Erdbeerinchen Erdbeerfee stapft mit Bibo Schmetterling zum Mäusehaus von Irmi Spitzmaus. Sie hat ihre Freunde zu einem gemütlichen Teenachmittag eingeladen.

Vor der Tür von Irmis Haus sitzt ein lustiges Tier aus Schnee, doch innen ist es ganz dunkel. Und in den Fenstern brennen keine Kerzen. Erdbeerinchen klopft. Aber niemand öffnet.

Erdbeerinchen klopft noch einmal. »Sollen wir einfach hineingehen?«, fragt Bibo besorgt.

Vorsichtig schiebt die Erdbeerfee die Tür auf. Drinnen ist es ganz anders als sonst. So haben Bibo und Erdbeerinchen das Mäusehaus noch nie gesehen. Es ist kalt. Kein Gebäck ist gebacken. Kein Tee ist aufgebrüht. Alles ist unordentlich und es riecht nach alten Socken.

»Irmi?«, piepst Erdbeerinchen ängstlich. Doch von der Mäusedame ist nicht mal ein Öhrchen zu sehen. Erdbeerinchen und Bibo lauschen. »Haaatschiiiiii!«, niest da plötzlich jemand.

Bibo und Erdbeerinchen kriegen einen Riesenschreck.

Da entdeckt die Erdbeerfee die kleine Spitzmaus. Sie sitzt vor ihrem kleinen eiskalten Ofen und sieht ganz elend aus. »Geht weg!«, schnieft Irmi traurig. Die Freunde sehen sofort, dass Irmi einen schlimmen Schnupfen hat. »Haaatschi, hatschi, hatschi!«, niest sie.

Erdbeerinchen holt rasch eine Decke.

»Ach, das hilft mir jetzt auch nicht mehr«, jammert Irmi und schmollt. »Das wird der grässlichste Teenachmittag, zu dem ich je ... haaatschi ... eingeladen habe. Niemand wird mich je wieder besuchen kommen. Guckt nur, wie ich aussehe!«

Irmi deutet auf ihre Nase. Die ist rot wie eine Tomate und tropft und tropft und tropft.

»Keiner möchte mit so jemandem Tee trinken«, heult die Maus plötzlich los. »Ich kann mir ja nicht einmal die Nase putzen!« Zum Beweis streckt sie die winzigen Pfoten, so weit sie kann, aus. Doch bis ganz vorne an die Nasenspitze kommt sie nicht.

»Ach, deine rote Nase macht niemandem etwas aus!«, meint Bibo. Er stellt schnell eine Tasse unter Irmis tropfende Nase. »Aber erst einmal unternehmen wir was gegen deinen Schnupfen!«

Erdbeerinchen findet in Irmis Speisekammer getrockneten Salbei und Wiesenhonig. Daraus kocht sie einen dampfenden Tee. Dazu macht Erdbeerinchen Zwiebelsaft. Bibo holt einen Bottich mit heißem Wasser und Lindenblüten. Dahinein stellt Irmi die kalten Mäusefüße.

Zuletzt stapft Erdbeerinchen hinaus in den Schnee und holt Brennholz. Damit zündet sie ein Feuer im Ofen an. Bald wird es warm in der Mäusestube und es prasselt so herrlich, dass es Irmi gleich ein bisschen besser geht.

»Aber was machen wir nur mit deiner Nase?«, überlegt Erdbeerinchen. Wieder plumpst ein Tropfen in die Tasse. Plitsch!

Bibo rümpft die Nase und sagt: »Wir bräuchten ein Nasenputz-Gerät!«

Plötzlich hat die Erdbeerfee eine Idee. Sie saust in Irmis Keller. Dort findet die kleine Fee eine Grillzange. Die benutzt Irmi im Sommer für geräucherten Speck. Bibo hat eine Schublade voller

Servietten entdeckt, denn Irmi sammelt für ihr Leben gerne Servietten.

Wenn Irmi jetzt einfach eine Serviette in die Grillzange klemmt, kann sie sich prima die Nase putzen. Irmi ist begeistert.

Nun wird es aber höchste Zeit! Bald kommen die Gäste. Zum Glück hat Erdbeerinchen eine große Kanne Tee aufgebrüht. Schnell reibt sie noch Haselnüsse und bäckt kleine Muffins.

Schon klopft es an der Tür. »Hallo Irmi!«, rufen zwei Stimmen. Es sind Maja Baumfee und Lilli, die Meise.

Lilli bleibt in der Tür stehen. »Tut mir leid, Irmi«, krächzt sie. »Ich komme lieber nicht mit herein. Ich habe Husten! Ich möchte niemanden anstecken!«

Maja Baumfee räuspert sich. »Ich möchte auch absagen. Ich habe Halsweh.«

Doch Erdbeerinchen hat die beiden schon zu der kranken Irmi in die Stube geschoben. »Ach, Irmi ist auch krank!«, kichert sie.

»Aber dann sind wir ja alle krank!«, sagt Maja. »Oje ... Bibo, Erdbeerinchen, wir werden euch noch anstecken!«

Bibo schnappt sich einen Haselnuss-Muffin. »Das kann nicht so schlimm werden!«, mampft er. »Wir haben schließlich genug Erkältungstee!«

Zusammen machen sich die Freunde einen gemütlichen Nachmittag am Ofen. Sie rösten knusprige Bratbeeren. Bibo schenkt allen Salbei-Honig-Tee ein. Lilli zwitschert Meisenlieder. Und Irmi Spitzmaus und die kleine Baumfee teilen sich das Fußbad.

So einen schönen Teenachmittag hätte sich Irmi nicht erträumt. »Geteiltes Leid, ist halbes Leid!«, kichert Erdbeerinchen Erdbeerfee.

Don Carlo ist verliebt

Don Carlo, der Heupferdjunge mit der kleinen blauen Violine, spielt ein wunderbares Lied. Es ist für Jolante, das hübsche Heupferdmädchen.

Jolante wohnt hinter Erdbeerinchens Garten in einem Blütenstrauch. Auch Erdbeerinchen lauscht dem Liebeslied. Don Carlo spielt es immer und immer wieder von vorne. Bis Erdbeerinchen schlafen geht. Auch am nächsten Morgen spielt Don Carlo noch. Und auch am Mittag.

Jo-ho-lante, liebliche Maid,
die Ihr reizend seid.
Höret mein Lied,
das ich für Euch schrieb:
Ihr habt mein Her-er-erz!
Oh! Welch ein Liebes-Schmerz!

Doch Jolante scheint Don Carlos Gesang gar nicht zu hören. Dabei singt und spielt der Heupferdjunge nun so laut, dass sich die

Erdbeerpflanzen biegen. Die Grashalme vibrieren und Erdbeerin-chen klappern die Zähne. Die Schnecken haben sich in ihre Häu-ser verzogen und die Käfer haben sich aus dem Staub gemacht. Der ganze Erdbeergarten ist genervt!

Erdbeerinchen hat schon alles probiert, um nichts mehr zu hö-ren: Sie hat sich Watte in die Ohren gestopft, ihr Gartenradio ganz laut aufgedreht, sogar selbst gesungen hat sie. Doch Don Carlo ist nicht zu überhören.

»Hallo Don Carlo!«, ruft Erdbeerinchen. »Könntest du nicht lei-ser singen?«

Aber das Heupferd spielt noch lauter. »Musik ist niemals zu laut!«, ruft Don Carlo würdevoll.

Erdbeerinchen seufzt. Wütend stapft sie zurück zu ihrer Tee-kanne. Warum nur hört Jolante das Lied nicht?

Plötzlich maunzt es laut. Der rote Kater Mio tigert durch den Erdbeergarten. Er ist sehr dick und gefräßig. Normalerweise hat Erdbeerinchen Angst vor Mio. Aber heute hat sie eine Idee. Mutig stellt sie sich dem Kater in den Weg. »Hallo Mio!«, ruft sie laut. Der Kater faucht wütend und sträubt sein Fell.

»Hmm, eine kleine Erdbeerfee!«, schnarrt er und leckt sich mit der Zunge über die Schnurrbarthaare.

Erdbeerinchen nimmt all ihren Mut zusammen. »Ich bin nicht lecker! Aber wenn du mir einen Gefallen tust, backe ich dir einen tollen Erdbeerkuchen mit weißen Schaummäusen.«

Dem Kater läuft das Wasser im Maul zusammen. »Und wenn ich

nun lieber Erdbeerfeen verspeise?«, fragt er listig. Erdbeerinchen schlottern vor Schreck die Locken. Aber sie streckt ihre Arme und Beine vor. »Guck doch! An mir ist gar nicht viel zum Fressen dran!«

Der Kater linst Erdbeerinchen mit seinen blauen Augen an und überlegt. Endlich fragt er: »Was muss ich denn dafür machen?«

»Du sollst nur Don Carlo erschrecken«, piepst Erdbeerinchen. »Damit er endlich aufhört, Violine zu spielen.«

»Und dafür bekomme ich einen Schaummaus-Kuchen?«, will Mio wissen. Erdbeerinchen nickt. Kater Mio ist einverstanden und schleicht zu Jolantes Blütenstrauch. Don Carlo spielt immer noch.

Mio pirscht sich von hinten an den singenden Don Carlo heran.

»Miaaaaau!«, maunzt Mio, so laut er kann. Don Carlo lässt entsetzt seine Violine fallen. Seine Beinchen zittern vor Angst, als er den riesigen Kater sieht.

»Friss mich nicht! Bitte, bitte! Ich will auch alles tun. Ich fange dir ein paar Mäuse. Ich könnte dir auch die Krallen schärfen. Ich habe einen tollen großen Schleifstein, der ...«

»Sei ruhig!«, maunzt Mio. Don Carlo ist sofort still.

»So ist es fein! Und kein Gefiedel mehr!«, droht Mio und zeigt ihm seine gefährlichen Krallen. Beleidigt hebt Don Carlo seine Violine auf.

Der Kater packt Don Carlo und setzt ihn auf seinen Rücken. »He, lass das!«, beschwert sich der Heupferdjunge. Der Kater faucht und Don Carlo ist sofort wieder still. »Wir essen jetzt Schaummaus-Kuchen!«, bestimmt Mio.

Erdbeerinchen hat inzwischen gebacken. Im Erdbeergarten sitzen sie nun zusammen am Kaffeetisch. Don Carlo ist immer noch beleidigt. Doch Mio schmatzt: »Ich weiß, warum deine Jolante dich nicht hört! Sie ist schwerhörig!«

Erdbeerinchen und der Heupferdjunge sind sprachlos. »Schwerhörig?«, staunt die Erdbeerfee. »Ach, deswegen macht Jolante die Tür nie auf!«

»Genau«, sagt Kater Mio. »Sie ist die einzige, die nie wegläuft, wenn ich durch das Gras schleiche. Weil sie mich nicht kommen hört.«

»Oh weh«, meint Don Carlo bedrückt.

Da hat Erdbeerinchen plötzlich einen Einfall.

»Ich komme gleich zurück!«, ruft sie und schwirrt mit ausgebreiteten Flügeln davon.

Der Kater und das Heupferd schauen ihr verwundert nach. Doch schon bald ist Erdbeerinchen wieder da. In der Hand hält sie zwei winzige Schneckenhäuser.

»Die sind von Schnecke Rudis Oma!«, schnauft sie außer Atem. »Es sind Hörschnecken. Sie hat ganz viele davon. Morgen schenke ich sie Jolante!«

Kater Mio schnurrt.

»Und dann kann sie mich endlich hören!«, schwärmt Don Carlo und ihm wird ganz warm im Bauch.

Der Wasserdrache

Heute ist Waschtag. Erdbeerinchen Erdbeerfee sitzt mit ihrem Waschbrett und einem kleinen Berg Wäsche am Teich und schrubbt.

»Schrubbeldi-schrubb, schribbeldi-schrabb!«, singt sie.

Plötzlich raschelt es im Gras. Die Erdbeerfee spitzt die Ohren. »Wer ist da?«, fragt Erdbeerinchen leise. Aber niemand antwortet. Erdbeerinchen lauscht noch mal. »Hallo-o«, ruft sie zittrig.

Da taucht plötzlich eine große dunkle Gestalt aus dem Teich auf. Sie hat ein breites Maul und spitze Zacken auf dem Rücken und ist größer als Igel Zetti.

»Hilfe, ein Drache!«, kreischt Erdbeerinchen und rennt ohne ihre Wäsche davon.

Die arme Erdbeerfee weiß gar nicht, wo sie hinläuft. Hoffentlich folgt ihr das Ungeheuer nicht. Sie hüpft über Steine, flattert über eine Wiese und läuft auf den Wald zu.

»Puh!«, macht Erdbeerinchen. Endlich ist sie im Beerenwald angekommen. Hier kann man sich gut verstecken.

Doch da passiert es. Plumps! Erdbeerinchen rutscht aus und fällt in ein Kaninchenloch.

Das Loch ist so steil, dass die Erdbeerfee nicht herauskrabbeln kann. Zum Fliegen ist es zu eng, doch Erdbeerinchen probiert es trotzdem. Sie spannt ihre Flügel und ...

Ratsch!

»Oh nein!«, jammert Erdbeerinchen. Ihr rechter Flügel hat einen langen Riss. Es tut nicht weh. Aber Erdbeerinchen beginnt zu weinen. Wie soll sie nur wieder hier herauskommen? Ohne Hilfe schafft sie das nicht. Erdbeerinchen weint noch schlimmer. Dicke Tränen kullern über ihre Wangen.

Da spricht plötzlich eine fremde Stimme: »Hallo! Ist da unten jemand?«

Erdbeerinchen zittert. »Hier ist die Erdbeerfee«, piepst Erdbeerinchen. »Ich brauche Hilfe! Ich bin in ein Kaninchenloch gefallen.«

»Oh, wie schrecklich«, sagt die Stimme mitfühlend

und Erdbeerinchen fühlt sich gleich etwas besser. »Ich kann dir auch nicht heraushelfen, aber morgen früh hilft dir bestimmt das Fräulein Eichhorn!«

Erdbeerinchen bekommt fürchterliche Angst. Die ganze Nacht soll sie in diesem Loch aushalten? »Bitte!«, piepst sie heiser. »Bitte, geh nicht weg!«

Erdbeerinchen muss wieder weinen. Doch die nette Stimme brummt: »Weine nicht! Ich bleibe bei dir! Ich erzähle dir eine Geschichte, wenn du magst. Sie handelt von der fliegenden Schnecke.«

Erdbeerinchen schnieft. »Eine fliegende Schnecke? Davon habe ich noch nie gehört!«

Und da beginnt die Stimme schon zu erzählen: »Es war einmal ...« Und Erdbeerinchen hört gespannt zu.

Als die Geschichte zu Ende ist, muss Erdbeerinchen lachen. Schon blinzeln die ersten Sonnenstrahlen in das Kaninchenloch. Und Erdbeerinchen hört ein Keckern. Oben fängt jemand an zu graben. Endlich sieht Erdbeerinchen Fräulein Eichhorn. Es reicht der Erdbeerfee die Pfoten und zieht sie mit einem Ruck aus dem Kaninchenloch.

Erdbeerinchen klopft sich die Erde von ihrem Kleid. »Puh«, schnauft sie.

Aber das Eichhörnchen ist schon wieder fort. Und vor Erdbeerinchen steht der Drache mit den schrecklichen roten Zacken und dem roten Bauch. Erdbeerinchen fällt vor Schreck fast wieder in das Kaninchenloch. Doch dann sieht sie seine netten braunen Augen. »Hast du mir die Geschichte von der Schnecke erzählt?«

Der Drache nickt. »Tut mir leid, wenn ich dich erschreckt habe«, brummt er. »Das passiert mir oft. Weil ich diesen furchtbaren roten Bauch und die roten Zacken habe! Niemand will mit mir spielen! Alle haben Angst vor mir. Oder sie lachen mich aus. Was für ein Molch ist schon rot von Kopf bis Fuß?« Der Molch zeigt Erdbeerinchen seinen feuerroten Bauch.

»Und ich dachte, du wärst ein Drache«, nuschelt Erdbeerinchen verlegen.

»Nö! Ich bin ein Molch!«, sagt der Molch traurig.

Erdbeerinchen lächelt plötzlich. »Siehst du, sogar du lachst mich aus!«, heult der Molch. Er dreht sich auf seinen großen Pranken um und will davonlaufen.

»Warte!«, ruft Erdbeerinchen. »Ich kann dir helfen!«

Der Molch bleibt stehen. »Pass auf! Das mache ich immer, wenn meine Erdbeeren zu reif geworden sind!«, erklärt Erdbeerinchen. Sie murmelt leise einen Zauberspruch und ihr Feenstab wird plötzlich grün. Damit tippt sie dem Molch auf den Bauch und auf jeden einzelnen roten Zacken. Plöng! Plöng! Plöng!

Der Molch macht große Augen. Alle Zacken und sein Bauch sind nun grün. Grün wie junge Erdbeeren. So sieht der Molch gar nicht mehr fürchterlich aus. »Oh, danke!«, flüstert er. »Du bist ja eine tolle Fee!«

Erdbeerinchen gluckst. »Gern geschehen! Du bist ja auch ein lieber Drache!« Lachend wandern die beiden zurück zum Teich, damit Erdbeerinchen ihre Wäsche aufhängen kann.

Erdbeerinchen kümmert sich

Erdbeerinchen hat unter einem Blatt etwas entdeckt. Dort hängen drei kleine Kügelchen. Sie sind gelb und haben bunte Punkte. Aufgeregt zeigt die Erdbeerfee sie ihrem Freund Bibo, dem Schmetterling.

»Siehst du das?«, flüstert Erdbeerinchen. »Was mag das sein?«

»Vielleicht sind es Eier«, meint Bibo.

Erdbeerinchen überlegt. »Was für ein Vogel legt so kleine Eier? Meinst du, die hat eine Meise gelegt?«

»Wir können Lilli fragen«, brummt Bibo. »Sie ist doch ein Vogel. Bestimmt weiß sie, wem die Eier gehören!«

Doch die Meise Lilli ist ratlos. So kleine Eier hat sie noch nie gesehen. Wer hat nur diese Eier hier vergessen?

»Wir müssen uns um sie kümmern«, beschließt die Erdbeerfee. Vorsichtig trägt sie die Eier in ihre Teekanne. Aus Gräsern baut sie ein weiches Nest. Vor allem aber müssen die Eier warm gehalten werden. Das übernimmt Bibo. Von morgens bis abends muss er darauf sitzen und brüten, damit sie schön warm bleiben.

»Wann schlüpfen die denn endlich«, nörgelt Bibo. »Mein Po ist schon ganz platt gesessen. Ich bin ein Schmetterling und kein Brütling!«

Da knackt es plötzlich. Bibo macht aufgeregt einen Hopser. Aus den Eiern schlüpfen nacheinander drei winzige Raupen. Sie sind blau und haben einen lustigen Stachelpelz.

»Oh, sind die süß!«, sagt Erdbeerinchen.

Die kleinste Raupe knabbert an Erdbeerinchens Erdbeerkleid. Sie hat Hunger.

Erdbeerinchen saust los und holt leckere Blätter. Die mögen die Raupenkinder. Doch ratzfatz ist alles weggeputzt. Schnell flattert Bibo los und kommt mit einem Büschel Schlüsselblumen zurück.

»Mampf, mampf, mampf!«, schmatzen die Raupen.

Immer wieder müssen die Erdbeerfee und der Schmetterling neues Essen für die Raupenkinder besorgen. Spät am Abend kommt Erdbeerinchen erschöpft mit einem letzten Arm voll Butterblumen in die Teekanne. »Das muss euch aber bis morgen früh reichen!«, sagt sie streng zu den Raupen und gähnt. Dann fällt sie müde in ihr Bett.

Am Morgen weckt sie ein lautes Geschmatze und ein Rufen von Bibo. »Erdbeerinchen, komm schnell!«

Draußen im Erdbeergarten sieht es schlimm aus. Die Raupen haben die Blätter der Erdbeerpflanzen angeknabbert. Und über Nacht haben sich die Raupen auch ziemlich verändert. Sie sind schon ganz dick und rund.

»He, nicht meine Erdbeeren!«, schimpft Erdbeerinchen.

Die Raupen schämen sich. »Aber was sollen wir dann fressen?«, fragt die dickste Raupe. »Auf der Wiese wächst ganz viel Löwenzahn«, sagt Erdbeerinchen. »Den könnt ihr fressen!«

»Pfui Löwenzahn!«, fiepsen die Raupen im Chor. »Wir mögen lieber Erdbeeren!«

Doch das geht beim besten Willen nicht!

Da kommt der Igel Zetti angetrottet. »Warum guckst du denn so traurig?«, fragt er die Erdbeerfee. Aber da sieht er schon die dicken Raupen und die angenagten Erdbeerpflanzen. Der Igel lächelt. »Ich habe eine Idee! Wartet mal! Ich bin gleich zurück!«

Zetti zockelt davon und Erdbeerinchen, Bibo und die Raupen warten ungeduldig. Plötzlich hört Erdbeerinchen ein Poltern. Der ganze Erdbeergarten bebt.

»Hilfe!«, ruft Bibo. Die Raupen krabbeln vor Angst auf Erd-beerinchens Arme. Bibo versteckt sich hinter der Teekanne und Erdbeerinchen kneift ängstlich die Augen zu.

Jetzt rollt ein riesiges orangefarbenes Ding über das Gras. Es ist rund und hat einen grünen Stiel. »Ahhh!«, kreischt Bibo. Doch Erdbeerinchen ist neugierig und blinzelt.

Das ist gar kein Erdbeben! Vor ihr liegt ein riesiger Kürbis. Und dahinter kommt Igel Zetti zum Vorschein. »Uff!«, schnauft Zetti. »Ist der schwer!«

Die Erdbeerfee staunt.

»Der lag schon den ganzen Sommer vor meinem Blätterhau-fen«, erklärt der Igel. »Ich wusste einfach nicht, was ich damit machen soll. Ich mag Kürbis ja nicht besonders.«

Sofort machen sich die Raupenkinder über das Gemüse her. Endlich gibt es genug zu fressen! Drei Tage fressen sie weiter, bis der Kürbis fast aufgegessen ist. Dann wissen die Raupen nicht weiter. »Und was nun?«, fragen sie im Chor.

»Ihr müsst euch verpuppen!«, erklärt Bibo.

Erdbeerinchen macht es vor. Sie wickelt sich nacheinander in drei dicke Decken ein und hängt sich kopfüber an einen Ast. Bibo kichert. Die fetten Raupen machen es Erdbeerinchen nach. Eine nach der anderen krabbelt zur Erdbeerfee. Jede Raupe spinnt ei-nen kleinen Kokon um sich herum, bis nur noch die Nasenspitzen zu sehen sind.

»Schlaft schön!«, flüstert Erdbeerinchen. Sie gibt jeder Raupe

einen Schmatz. Dann haben sie sich eingesponnen. Erdbeerinchen und Bibo warten. Einen Tag, zwei Tage, drei Tage. Bis es
eines Morgens endlich raschelt. Die Kokons wackeln hin und her.

Erdbeerinchen zupft Bibo am Flügel: »Schau mal!«

Endlich ist das Köpfchen der ersten Raupe zu sehen. Sie schlüpft
aus ihrem Kokon. Doch jetzt ist sie gar keine Raupe mehr! Sie
hat zwei wunderschöne glänzende Flügel. Auch ihre Geschwister
haben Flügel bekommen. Sie sind zu drei gepunkteten Schmet-
terlingen geworden.

Erdbeerinchen hüpft vor Freude hin und her. Bibo jauchzt. Und
sogar der Igel Zetti ist gekommen und klatscht begeistert.

»Danke, dass ihr uns geholfen habt«, rufen die Schmetterlinge
im Chor.

Erdbeerinchen ist stolz und auch Bibo bekommt rote Bäckchen.

Zetti hat Streit

Jeden Herbst bereitet der Igel Zetti seinen Winterschlaf vor. Doch dieses Jahr hat er richtig schlechte Laune. Rein gar nichts will klappen!

Sein Blättertipi lässt sich nicht aufbauen. Und obwohl Zetti fleißig gesammelt hat, sind nicht genügend Wintervorräte da. Doch das Schlimmste ist, dass er schrecklich müde ist. So müde, dass seine Beinchen jucken und kribbeln.

Da landet Erdbeerinchen Erdbeerfee in Zettis Brombeerstrauch. Sie hat schon ihren dicken Pullover und Stiefel an. »Aber, Zetti! Was ist denn nur los?«, fragt sie.

»Ach, nichts!«, schnauft Zetti unzufrieden. Wieder versucht er, sein Blättertipi aufzustellen. Dazu lehnt er lange, dünne Stöcke aneinander. Zuerst zwei, dann drei, bis alle mit dem oberen Ende aneinanderstehen. Dann legt er das Blätterdach darüber und ...

Wusch! Wieder fällt das Tipi zusammen. Wütend stampft Zetti auf dem Blätterzelt herum. »Das ist doch alles doof!«, schimpft er. »Und wie mir die Beinchen jucken!«

»Dann musst du mal ein Flohbad nehmen«, meint Erdbeerinchen.

»Ach, das ist es nicht«, gähnt Zetti. »Es juckt, weil ich so müde bin.«

»Warum machst du dann nicht endlich deinen Winterschlaf?«, fragt Erdbeerinchen und reibt sich die Hände.

»Ich kann nicht«, brummt Zetti.

»Und weshalb nicht?«, fragt die Erdbeerfee verwundert.

»Ich habe mich mit meinem Freund Rottel gestritten«, erklärt der Igel bekümmert.

»Ach so!«, sagt Erdbeerinchen und überlegt. »Dann entschuldige dich doch einfach!«

Zetti murrt unzufrieden und kickt eine Nuss fort. »Ich traue mich nicht! Es ist so albern! Ich weiß nicht einmal mehr, warum wir uns gezankt haben.«

Erdbeerinchen kann Zetti gut verstehen. Sie könnte auch nicht schlafen, wenn sie mit Bibo Streit hätte. »Wie wäre es, wenn du Rottel einen Brief schreibst?«

»Einen Brief?«, fragt Zetti verwundert.

Doch dann findet er die Idee prima. Gesagt, getan! Der Igel schreibt seinem Freund einen langen Brief. Und weil ihm das nicht reicht, schreibt er noch einen und noch einen. Für jeden Tag einen neuen.

Erdbeerinchen hat inzwischen ihre Teekanne winterfest gemacht. Sie sammelt nur noch ein wenig Moos, um ihre Pflanzen zuzudecken. Als sie bei Zettis Blättertipi vorbeikommt, bleibt die Erdbeerfee verwundert stehen. Rauch steigt oben aus dem Tipi. Ist Zetti noch wach? Die anderen Tiere halten doch längst Winterschlaf.

Erdbeerinchen steckt den Kopf durch die Tür. »Zetti?«

Da sitzt der Igel in einem riesigen Berg aus Briefen. Er hat dunkle Augenringe und gähnt. Vor lauter Müdigkeit kann er sich kaum noch auf seinem Stühlchen halten. Erdbeerinchen wird wütend. »Zetti, jetzt reicht es aber!«, schimpft sie.

»Ich traue mich einfach nicht, die Briefe abzuschicken!«, jammert Zetti und reibt sich die Knopfaugen.

»Gut!«, sagt Erdbeerinchen. »Dann mache ich das!«

Zetti will ihr die Briefe wegnehmen, doch schon hat die Erdbeerfee sie alle eingesammelt und ist verschwunden. Der Igel hat
auf einmal ein furchtbar schlechtes Gewissen. Was, wenn Rottel
die Briefe gar nicht haben will? Was, wenn er Erdbeerinchen damit zurückschickt?

Sicher macht Rottel schon Winterschlaf, denkt Zetti jetzt.

Doch Zetti kann immer noch nicht schlafen. Er muss immerzu an Rottel denken. Wann Erdbeerinchen wohl zurückkommt?
Aufgeregt trabt Zetti vor seinem Tipi auf und ab.

Endlich kommt die Erdbeerfee angeflattert. Sie hat den Arm
voller Briefe. Als Zetti das sieht, wird ihm ganz elend. Sein Bäuch-
lein schmerzt und in seinem Herzen pikst es. Traurig rollt er sich
zusammen und weint dicke Igeltränen.

»He Zetti! Du brauchst doch nicht weinen!«, lächelt die Erdbeerfee und streichelt ihm die Ohren. Da wird Zetti wütend.
»Lach mich nicht aus!«, faucht er.

Dann sieht der Igel plötzlich die Briefe in Erdbeerinchens Armen. Sie sind nicht blau, sondern grün.

»Die sind von Rottel«, jauchzt Zetti und hüpft vor
Freude.

»Stimmt!«, freut sich Erdbeerinchen.
»Rottel hat dir genauso viele Briefe
geschrieben wie du ihm!«

Zetti wischt sich die Tränen

weg und strahlt. Erdbeerinchen holt einen großen Kuchen mit Wintererdbeeren hervor. »Und den habe ich für dich gebacken! Damit du genug Winterspeck bekommst!«, sagt sie.

Die Erdbeerfee krabbelt leise aus dem Tipi und deckt den Eingang sorgfältig mit Blättern zu. Zetti schlüpft mit dem ersten Brief und einem Stück Kuchen ins Bett. Freudentränen rollen ihm über die Barthaare. Endlich wird er schlafen können!

Und jedes Mal, wenn er im Winter aufwacht, gibt es einen wunderbaren Freundschaftsbrief und ein leckeres Stück Kuchen.

Das Schlaflied

Am Abend wird die kleine Glockenelfe Bella munter. Jetzt gibt es besonders viel zu tun. Sie huscht durch Wiesen und Wälder und singt ihr Schlaflied. Dabei spielt ihre goldene Harfe ganz von selbst feine Melodien.

Schlaft, schlaft, ihr Käfer,
unter Blumen und Bäumchen.
Schlaft, schlaft, ihr Mäuse,
schenke jedem ein Träumchen.

Sie deckt die Spinnen mit Moosdeckchen zu. Dem schnarchenden Igel steckt sie eine Wäscheklammer auf die Nase. Auch dem kleinen Käfer Willi gibt Bella einen Gutenachtkuss. Erst in der Morgendämmerung krabbelt die Elfe in ihre Glockenblume zurück. Tagsüber ist nämlich Schlafenszeit für sie.

Doch heute Mittag wird sie von einem lauten Rufen geweckt. »Bella!«, ruft Erdbeerinchen aufgeregt. Die Elfe steckt verschlafen den Kopf aus ihrer Glockenblume. »Was ist denn? Es ist doch noch Tag!«, murmelt sie.

»Komm schnell, wir brauchen deine Hilfe! Willi will nicht aufwachen«, erklärt die Erdbeerfee besorgt.

Sofort ist die Glockenelfe hellwach. Zusammen laufen sie zu Käfer Willis Schlafnest. Da liegt er unter der Silberweide und schnarcht laut. Fräulein Eichhorn, der alte Kröterich und ein Salamander haben sich versammelt und schauen verwundert zu.

Fräulein Eichhorn kitzelt Willi mit der Schwanzspitze an der Nase. Doch Willi schläft weiter. Der alte Kröterich quakt so laut, dass Erdbeerinchen sich die Ohren zuhalten muss. Doch Willi rührt sich nicht. Der Salamander träufelt Willi Wasser auf die Nase. Aber Willi schläft weiter.

»Ach herrje!«, sagt Bella zerknirscht. »Vielleicht war mein Schlaflied zu stark?«

»Kann denn so etwas passieren?«, fragt Erdbeerinchen erstaunt.

Bella zittert ängstlich. »Ich weiß nicht!«, schnieft sie und wischt sich eine Träne fort. Erdbeerinchen nimmt ihre Freundin in den Arm.

»Ach, das ist nicht so schlimm!«, meint Fräulein Eichhorn. »Seht mal, wie schön Willi träumt!«

Tatsächlich zuckt Willi mit den Fühlern und lächelt im Schlaf. Bella schluchzt entsetzt und kann sich gar nicht beruhigen. Doch Erdbeerinchen spitzt die Ohren. »Hört mal! Da schnarcht noch jemand!«

Bella, Erdbeerinchen und die Tiere schauen nach oben. Da liegt Maja Baumfee seelenruhig auf einem Ast und schläft. »He Maja!«, keckert Fräulein Eichhorn laut. Aber die Baumfee rührt sich nicht. Und noch ein drittes Schnarchen ist zu hören.

Entsetzt schauen Erdbeerinchen und Bella sich um. Es ist Molly Maulwurf. Sie liegt auf ihrem Maulwurfshügel und schläft ebenfalls. Bella zupft ängstlich an Mollys Kleid. »Molly?«

»Ach, die träumen bestimmt alle einen wunderbaren Traum nach dem anderen!«, murrt der Salamander neidisch. Erdbeerinchen zwirbelt besorgt ihre Locken. »Aber wie kriegen wir sie wieder wach?«

»Die wachen schon irgendwann von alleine wieder auf!«, brummt der Kröterich.

Doch Willi, Maja und Molly wachen nicht auf. Auch einen Tag später nicht. Und am Tag danach schlafen sie immer noch.

Die Glockenelfe ist sehr traurig darüber. Sie mag jetzt keine Schlaflieder mehr singen. Auch Erdbeerinchen weiß keinen Rat. Sie hat deshalb beschlossen, erst einmal Beeren für ihre Vorräte zu sammeln. Die Erdbeerfee ist den ganzen Tag unterwegs. Erst am Abend macht sie sich auf den Rückweg zur Teekanne.

Doch als Erdbeerinchen an der Silberweide vorbeikommt, hört sie plötzlich etwas. Jemand spielt Musik. Wunderschöne Musik. Erdbeerinchen muss gähnen. Gleich fallen ihr die Augen zu. Da erkennt die Erdbeerfee plötzlich die Melodie. Flink hält sie sich die Ohren zu. »He! Wer spielt da Bellas Schlaflied?«

Prompt ist es mucksmäuschenstill. Erdbeerinchen läuft um die Silberweide herum. Oben im Geäst sitzt ein winziges Vögelchen. Ein Zaunkönig.

»Schäm dich!«, ruft Erdbeerinchen wütend. »Am helllichten Tag Bellas Gutenachtlieder zu singen!«

Der Zaunkönig lässt erschrocken sein Schwänzchen hängen. Jetzt eilen auch die anderen Tiere und Glockenelfe Bella herbei.

»Ich kann nicht anders!«, zwitschert der kleine Zaunkönig. »Das Lied ist so schön! Ich musste es einfach singen.«

»Aber wenn du ständig Bellas Schlaflieder singst, können Maja, Willi und Molly nicht aufwachen!«, schimpft Fräulein Eichhorn.

»Sei ab jetzt still!«, ruft der alte Kröterich dem Zaunkönig zu.

Erdbeerinchen, Bella, Fräulein Eichhorn, der Kröterich und der Salamander warten gespannt. Es dauert, bis der Mond aufgeht. Endlich streckt Käfer Willi Ärmchen und Beinchen. Maja Baumfee rappelt sich auf und Molly Maulwurf krabbelt langsam von ihrem Erdhügel.

»Guten Morgen!«, gähnen die drei ihm Chor.

Die Glockenelfe schnieft glücklich. »Puh und ich dachte schon, mein Schlaflied wäre zu stark gewesen!«

Erdbeerinchen lächelt glücklich. Doch der kleine Zaunkönig lässt immer noch den Kopf hängen. »Weißt du, was?«, sagt Bella zu ihm. »Wenn du willst, kannst du mir heute Nacht helfen!«

Und bis die Sonne aufgeht, streifen der Zaunkönig und Bella zusammen durch die Wiesen und singen die schönsten Schlaflieder.

Ein muffiges Feenfest

Heute findet in der alten Eiche das Erntefest der Feen statt. Alle Feen sind eingeladen und bringen ihre Erntefrüchte mit. Auch Erdbeerinchen ist mit einer besonders schönen Erdbeere auf dem Weg zum Fest.

»Ein Beerchen hier, ein Beerchen da ...«, singt sie und hüpft durch das feuchte Gras. Die Sonne kitzelt sie an den Flügeln und überall glitzern Tautropfen. Fast ist Erdbeerinchen an der alten Eiche angekommen, da entdeckt sie etwas im Gras. Einen Mäusekötel!

Aufgeregt schaut Erdbeerinchen sich um. Niemand ist zu sehen. Rasch steckt die Erdbeerfee den kleinen Mäusekötel in ihre Tasche. Hoffentlich hat ihr niemand dabei zugeschaut! Das wäre Erdbeerinchen furchtbar peinlich.

Im Festsaal der alten Eiche sind schon alle Feen versammelt: die Obstfeen, Luftfeen, Baumfeen und Gartenfeen. Auf den Tischen glitzern goldene Teller und Becher. An den Wänden hängen Blumengirlanden. Und es duftet nach den herrlichsten Speisen.

In einem weißen Lilienthron sitzt die Feenkönigin. Ihr Kleid ist aus Blütenblättern und auf dem Kopf trägt sie eine funkelnde Krone.

»Herzlich willkommen auf dem Erntefest!«, haucht die Feenkönigin. »Wie ihr wisst, ist heute auch unser großer Zauberwettbewerb.«

Die Feen klatschen begeistert. Aber Erdbeerinchen verschluckt sich vor Schreck an ihrem Nusspudding. »Oh nein! Ein Wettbewerb?«, piepst sie erschrocken. »Davon habe ich gar nichts gewusst!«

Neben ihr sitzt die kleine Samenfee Paula Pusterella und macht große Augen. »Du bist aber schusselig, Erdbeerinchen! Deshalb sind wir doch hier! Jede Fee hat einen Zauber vorbereitet. Ich habe einen Witz für den Wind gedichtet«, sagt sie stolz. »Damit er ordentlich lacht und meine Samen durch die Luft pustet. So können überall neue Pflänzchen wachsen!«

Da rümpft Paula plötzlich die Nase. »Sag mal, riechst du das?«

Erdbeerinchen tut ganz erstaunt. »Nein, was denn?«

»Hier müffelt es!«, meint Paula. Auch die anderen Feen rümpfen die Nasen und tuscheln. Die Fee Bruni Brombeer hält sich sogar ihr Taschentuch vor das Gesicht.

Erdbeerinchen ist der muffige Mäusekötel schrecklich unangenehm. Was würden die anderen Feen wohl sagen, wenn sie davon erfahren würden? Mäusekötel sind nicht sehr zauberhaft!

Nacheinander treten nun die Feen nach vorne und führen ihre

neuesten Zauberkünste vor. Rubi Himbeer hat lustige Himbeeren mitgebracht, die nach dem Pflücken von alleine in einen Eimer hüpfen. Bella, die Glockenelfe, hat ein neues Schaflied gelernt. Mit ihm träumen alle Tiere denselben Traum: von einer Sternschnuppe, die Purzelbäume schlägt. Und die Baumfee Maja führt das aufregendste Kunststück vor: Sie hat einen jungen Baum mitgebracht, der auf Kommando sein Laub abschüttelt.

Erdbeerinchen macht sich schreckliche Sorgen. Gleich ist sie an der Reihe! Was soll sie nur zaubern? Sie kennt einfach kein neues Zauberkunststück. »Erdbeerinchen!«, ruft da die Feenkönigin fröhlich. »Was hast du uns für einen Zauber mitgebracht?«

Die kleine Erdbeerfee tritt zitternd vor. Die anderen Feen schauen sie gespannt an. »Äh …«, stammelt Erdbeerinchen. Alle warten mit gespitzten Ohren und Erdbeerinchen wird ganz heiß vor Aufregung. »Also, ich kann kein ... ich meine, ich habe keinen ...« Erdbeerinchen stockt.

Die Feen schauen fragend. »Ach, Erdbeerinchen, jetzt kannst du es ihnen doch sagen!«, lächelt die Feenkönigin aufmunternd. »Was denn?«, fragt Erdbeerinchen verdutzt.

Da erklärt die Feenkönigin: »Erdbeerinchen Erdbeerfee hat in diesem Jahr eine ganz besondere Entdeckung gemacht! Ihre Erdbeeren sind die schönsten Früchte des Sommers, weil sie sie besonders gedüngt hat. Seht euch nur die prächtige Erdbeere an, die sie mitgebracht hat.«

Die Feenkönigin schnuppert. »Riecht ihr das, liebe Feen? Erdbeerinchen, zeig uns, was du mitgebracht hast!«

Die Feen kräuseln wieder ihre Nasen. »Es stinkt!«, ruft Kira Kirschenfee. »Ja, nach Pups!«, meint Bruni Brombeer.

Erdbeerinchen wird rot, als sie den Mäusekötel hervorholt. Doch die Feenkönigin applaudiert und nimmt dann den Mäusekötel in die Hände. Sie hält ihn hoch, damit alle ihn sehen können. »Erdbeerinchen hat ihre Erdbeerpflanzen mit Mäuseköteln gedüngt. Darin sind wichtige Nährstoffe, die junge Pflanzen zum Wachsen brauchen. Das ist sehr klug! Und es bedarf noch nicht einmal der Zauberei. Denn in der Natur wird alles wiederverwertet. Auch das, was die Maus frisst. Nicht wahr, Erdbeerinchen?«, meint die Feenkönigin.

Erdbeerinchen wird plötzlich ganz verlegen. Dann zeigt sie den versammelten Feen die Erdbeere, die sie mitgebracht hat. »Oh« und »Ah!« staunen alle. Die Frucht glänzt und ist feuerrot. Eine perfekte Erdbeere!

»Ja, unsere Erdbeerfee weiß eben, was gut ist!«, sagt die Feenkönigin. »Und dafür bekommt Erdbeerinchen in diesem Jahr den ersten Preis!«

Ein Gespenst im Erdbeergarten

Erdbeerinchen zählt ihre Erdbeeren. »Eins, zwei, drei ...« Doch dann hält sie inne. »He, da fehlt ja eine Erdbeere!«, ruft die Erdbeerfee empört.

Auch Erdbeerinchens Freunde Herr Piffpaff und Bibo Schmetterling zählen die Erdbeeren nach. Und tatsächlich! Eine Erdbeere ist weg.

»Vielleicht hat ein Vogel die Erdbeere stibitzt?«, überlegt Herr Piffpaff. »Oder ein Eichhörnchen?«, meint Bibo.

Am nächsten Morgen zählt Erdbeerinchen erneut ihre Erdbeeren. »Es fehlt schon wieder eine! Das war bestimmt die große Krähe«, murrt sie wütend.

Die Erdbeerfee stapft in ihre Teekanne und holt ein großes Netz. Das spannt sie am Abend über ihre Erdbeeren. So kommt der Dieb nicht mehr so leicht an die Erdbeeren heran.

Aber auch am dritten Morgen fehlt eine Erdbeere. Erdbeerinchen betrachtet traurig den leeren Stiel. Herr Piffpaff zittert. »Ich glaube, hier hausen Gespenster!«, quiekt er.

Zitternd versteckt sich Bibo hinter einem Erdbeerblatt. »Oh nein, oh nein, oh nein! Das ist nicht gut!«, piepst er ängstlich.

»Es gibt wirklich fürchterliche Erdbeergespenster!«, meint Herr Piffpaff und nickt. »Zuerst fressen sie alle Erdbeeren auf und dann kommen sie und ziehen dir nachts an den Ohren!«

Bibo hält sich vor Schreck die Fühler fest. »Meint ihr wirklich?«, flüstert Erdbeerinchen besorgt. Jetzt bekommt auch die Erdbeerfee Angst. Doch sie fasst sich ein Herz. Schließlich geht es um ihre Erdbeeren!

In der Nacht legt sie sich zusammen mit Bibo und Herrn Piffpaff auf die Lauer. Aufgeregt lauschen die drei jedem Geräusch. Bibo klammert sich an Erdbeerinchen und Herrn Piffpaffs Herz klopft wie eine Trommel.

Plötzlich knackt ein Zweig. Erdbeerinchen und Bibo drücken sich noch dichter aneinander. »Da!«, flüstert Erdbeerinchen aufgeregt. »Hilfe, das Gespenst!«, piepst Bibo heiser.

Doch Herr Piffpaff reckt den Kopf. »Quatsch!«, flüstert er. »Das ist kein Gespenst! Das ist ein Dickmaulrüssler!«

Erdbeerinchen entdeckt jetzt auch den kleinen kugeligen Käfer. Er hat einen langen dünnen Rüssel und läuft zu Erdbeerinchens Netz. Geschickt krabbelt er darunter.

»Jetzt trägt er gleich eine Erdbeere davon. Was machen wir nur?«, flüstert Bibo entsetzt.

Doch da macht der Dickmaulrüssler sein Maul weit auf und mit einem lauten Schmatzer verputzt er die Erdbeere. Dann krab-

belt er wieder unter dem Netz hervor und wackelt weiter in den nächsten Garten.

»So eine Frechheit!«, prustet Erdbeerinchen empört. Sie ist sehr wütend über den Käfer. Ihre Bäckchen haben rote Flecken und sie reckt die Fäuste. »Niemand klaut meine Erdbeeren!«, schnauft sie. »Na warte!«

Wütend stapft Erdbeerinchen in ihre Teekanne. Herr Piffpaff robbt aufgeregt neben ihr her und Bibo ruft: »Was hast du vor?« Erdbeerinchen schnaubt nur und kramt in ihrem Küchenschrank. Sie findet eine weiße Tischdecke und schneidet zwei Löcher hinein. »Morgen Abend verjagen wir den Dieb! Wir treffen uns vor der Teekanne!« Bibo und Herr Piffpaff nicken entschlossen.

Und als es am nächsten Abend dunkel wird, wartet die Erdbeerfee schon auf ihre Freunde. Die Sterne leuchten bereits am

Himmel. Erdbeerinchen schnappt sich ihre Tischdecke. »Bibo, du musst Wache halten und aufpassen, wann der Dickmaulrüssler kommt! Wenn du ihn siehst, pfeifst du leise, ja?«

Bibo flattert los und stellt sich am Gartenzaun in Position. Zu Herrn Piffpaff sagt Erdbeerinchen: »Wenn Bibo pfeift, musst du kräftig mit deiner Pfeife qualmen.«

Die Raupe grinst: »Ich weiß, was du vorhast!«

Erdbeerinchen grinst auch. Doch da pfeift Bibo schon. »Schnell, schnell«, flüstert Erdbeerinchen hektisch. Herr Piffpaff zieht fleißig an seiner Pfeife und pafft weiße Dampfwölkchen. Er pafft so viele Dampfwölkchen, dass sie gespenstisch über die Wiese wabern. Schnell wirft sich Erdbeerinchen die Tischdecke über.

Unter dem Tuch spannt sie ihre Flügel. Puh, ist das mühsam! Doch dann flattert sie los.

Der Dickmaulrüssler ist schon unter das Erdbeernetz gekrochen und will gerade in Erdbeerinchens schönste Erdbeere beißen.

»Buuh-huu!«, raunt Erdbeerinchen und schwebt durch die Dampfwolken. Der Dickmaulrüssler sieht das furchtbare Gespenst und lässt vor Schreck die Erdbeere fallen. Er purzelt auf den Rücken und rudert mit den Beinchen.

Wieder schwebt Erdbeerinchen über ihn hinweg. »Buuuh ...!«

Endlich kann der Käfer sich auf den Bauch drehen und jagt davon. Erdbeerinchen lässt sich ins Gras sinken. Bibo zieht ihr die Tischdecke vom Kopf.

»Es gibt tatsächlich ein Gespenst in deinem Garten!«, kiekst er. Und Herr Piffpaff kringelt sich vor Lachen. »Der kommt bestimmt nie wieder!«

Der wunderschönste Schnupper

Heute besucht Erdbeerinchen Erdbeerfee den Mäuserich Schnupper. Er wohnt zusammen mit seinen Mäusebrüdern und Mäuseschwestern in Erdbeerinchens altem Vogelhäuschen, in das die Erdbeerfee mal nach einem schrecklichen Regen eingezogen war. Das Vogelhäuschen liegt zwischen Heckenrosen auf einem kleinen Hügel.

Schon von Weitem wuseln der Erdbeerfee Schnuppers drollige Geschwister entgegen. Sie heißen: Itzi, Bitzi, Trixi und Fipsi.

»Große Erdbeerfee, mach uns schön!«, piepsen die Mäuse im Chor.

Nein, denkt Erdbeerinchen. Eine rote Maus ist wirklich genug! Denn als Erdbeerinchen noch nicht so gut zaubern konnte, hat sie Schnupper aus Versehen verzaubert. Der Mäuserich hat nun ein feuerrotes Fell wie eine Erdbeere.

»Wo ist Schnupper?«, fragt Erdbeerinchen. Itzi und Bitzi kichern. »Der pudert sich bestimmt die Nase!«, ruft Fipsi. »Oder den Bauch«, gluckst Trixi.

Erdbeerinchen nimmt das kleinste Mäuschen auf den Arm. »Warum macht er denn das?«

»Weiß nicht«, schmollt Fipsi. »Für uns hat er keine Zeit mehr. Das Nasepudern ist ihm morgens wichtiger! Und mittags kann er auch nicht mit uns spielen. Da kämmt er sein Fell!« Itzi und Bitzi kichern wieder. »Und am Abend macht er Lockenwickler in seine Schnurrbarthaare!«

Erdbeerinchen schaut sich verwundert um. Doch der rote Schnupper ist nirgends zu sehen. Itzi und Bitzi sehen hinter dem Vogelhäuschen nach. Fipsi läuft zum Bach und Erdbeerinchen schaut hinter die Hecke. Wo nur ist Schnupper?

Da zeigt Trixi aufgeregt in die Heckenrose. »Da oben ist er!«

Tatsächlich! Der Mäuserich steht mit gereckter Nase auf einem

Ast. In einer Pfote hat er einen goldenen Spiegel und mit der anderen bürstet er sein seidiges Fell. Jetzt steckt er sich eine Feder hinter das Ohr und seufzt: »Ach, bin ich schön!«

Die Vögel im Baum kringeln sich vor Lachen. »Guckt mal! Ist das eine eingebildete Maus!«

Erdbeerinchen findet es schlimm, wie Schnupper sich benimmt. Auch Schnuppers Freunde, die Tiere, sitzen unter dem Strauch und schütteln die Köpfe. Hätte der Feenstab nur nicht versehentlich das Fell von Schnupper rot gezaubert!

»Seht mich an! Ich bin die schönste Maus der Welt!«, ruft Schnupper eitel. Der kleine Feldhamster gluckst. Die Hummeln in den Rosenblüten lachen und das Eichhörnchen keckert. Der Mäuserich funkelt die Tiere böse an: »Ihr seid dick und hässlich!«

Da kullert dem Hamster eine Träne über die Backe. »Du bist gemein! Bald hast du keine Freunde mehr!«, mümmelt er.

»Ich brauche keine Freunde!«, meint Schnupper trotzig. Er reckt die Nase und da passiert es! Wusch!

»Hilfeeee!«, ruft Schnupper ängstlich. Der rote Mäuserich ist ausgerutscht und purzelt jetzt vom Ast. Er kann sich nirgends festhalten, weil er Spiegel und Bürste umklammert. Wie ein Kieselstein rauscht Schnupper durch die Blätter der Zweige. Gleich plumpst er auf den Boden. Erdbeerinchen hält sich vor Schreck die Augen zu.

Da eilt plötzlich Fräulein Eichhorn herbei. Sie springt von Ast zu Ast und packt den Mäuserich gerade noch an seinem kahlen Schwanz.

Vorsichtig setzt sie den zerkratzten Schnupper am Boden ab. Er hat einen Knick im Ohr und sein Herz pocht fürchterlich. Sein Spiegel ist zerbrochen. Und plötzlich muss der rote Mäuserich weinen. Er schämt sich so. Denn er war gemein zu allen, die er eigentlich lieb hat.

»Tut mir leid!«, piepst Schnupper. »Macht nix!«, mümmelt der kleine Feldhamster versöhnlich und hält dem Mäuserich eine Ähre hin.

Erdbeerinchen setzt sich neben Schnupper. »Möchtest du dein graues Fell zurückhaben?« Schnupper überlegt. Eigentlich findet er sein rotes Fell sehr schön. Erdbeerinchen lächelt und streichelt ihm die Ohren. »Wie wäre es mit einem Kompromiss?«

Schnupper zuckt mit den Schultern. Doch die Erdbeerfee schwingt schon ihren Zauberstab und tippt Schnupper an. Plöng!

Schnupper springt erstaunt auf. Er ist wieder mausgrau. Doch auf dem Bauch hat er immer noch einen wunderschönen roten Erdbeerfleck.

Großes Erdbärfest!

Erdbeerinchens Erdbeeren sind reif. Aufgeregt hüpft die kleine Fee im Garten umher. Was soll sie nur mit all den Früchten anfangen? Eine Erdbeere hat die Fee gestern den Ameisen geschenkt. Auch der Siebenschläfer hat eine für seinen Wintervorrat bekommen. Und aus dem Rest würde Erdbeerinchen eigentlich Marmelade kochen. Doch dann hat sie eine Idee. »Wir feiern ein Erdbeerfest!«, jauchzt sie laut. »Das wird ein Spaß!«

Und damit alle Bescheid wissen, malt Erdbeerinchen ein großes Plakat:

Großes Erdbeerfest
bei Erdbeerinchen Erdbeerfee, heute Abend!

Das Plakat hängt Erdbeerinchen auf der großen Lichtung an einen Baum. So kann es jeder sehen. Wieder zu Hause macht Erdbeerinchen sich schnell an die Arbeit: Sie bäckt einen großen Erdbeerkuchen, kocht Erdbeerpudding, formt kleine Erdbeerbonbons und füllt Erdbeerpunsch in bunte Gläser. Bibo Schmetterling hilft ihr und dekoriert lustige Girlanden über den Gartenzaun.

Da traben drei kleine Bären in den Erdbeergarten. Sie sind dick und braun und haben Erde auf den Ohren. »Hilfe!«, schreit Bibo. »Bitte, tut mir nichts!«

Doch der erste Bär schnappt sich nur Erdbeerinchens frischen Erdbeerkuchen und stapft davon. Der zweite Bär klaut die Schale mit dem Punsch. Und der dritte stopft sich alle Bonbons in die Backen und verschwindet.

Bibo schnauft fassungslos. Auch Erdbeerinchen kann nicht glauben, was sie da gesehen hat. Wütend läuft sie zurück in die Küche. »Schnell! Wir müssen einen neuen Kuchen backen!«, ruft sie. »Sonst haben wir nichts, wenn unsere Gäste kommen!«

Aber als Erdbeerinchen endlich den heißen Kuchen aus dem Ofen holt, traben die drei Bären wieder in den Garten. Der erste sammelt Erdbeerinchens restliche Erntefrüchte auf. Der zweite Bär stapft in die Küche und holt sich den frischen Kuchen und der dritte Bär brummt: »Ist denn sonst nichts mehr da?«

Erdbeerinchen stemmt die Hände in die Hüften. »Nein!«, ruft sie wütend. »Ihr habt ja alles weggeholt! Obwohl euch niemand eingeladen hat!«

»Ist das nicht das Erdbärfest?«, fragen die Bären erstaunt. »Wir sind doch die Erdbären!«

Jetzt sieht Erdbeerinchen, dass das braune Fell der Bären über und über mit kleinen Erdbrocken übersät ist und ein Bär hat sogar eine Wurzel auf dem Kopf. Bibo muss kichern.

»Es ist ein Erdbeerfest! Kein Fest für Erdbären!«, ruft Erdbeerinchen empört.

Der dickste Bär schämt sich. Schnell legt er Erdbeerinchens Früchte zurück ins Gras. Doch die beiden anderen Bären haben schon die letzten Krümel des Kuchens aufgefressen. Der dünnste Bär tritt von einer Tatze auf die andere. »Das tut uns aber leid! Wir dachten, das Fest sei nur für uns. Wir haben unsere Erdbären-Kost nämlich satt, wisst ihr?«

»Das hilft mir jetzt auch nicht!«, faucht Erdbeerinchen traurig.

Jetzt kommen Erdbeerinchens erste Gäste. »Sind wir zu spät?«, ruft Igel Zetti. »Es ist ja schon alles aufgegessen!«

Die drei Erdbären schämen sich noch mehr. »Wir retten dein Fest! Versprochen!«, brummen sie und laufen davon. Inzwischen trudeln auch alle anderen Gäste im Erdbeergarten ein. Die Mäuse, Maja Baumfee, Meise Lilli, die Gartenfeen und Herr Piffpaff. Sogar die Feenkönigin ist gekommen. Und Erdbeerinchen hat nicht einmal mehr ein Glas Punsch übrig. Das ist ihr sehr peinlich.

Da kommen endlich die drei Bären zurück. Erdbeerinchen staunt. Ein Bär trägt eine riesige Schale dampfenden Kartoffelbrei. Der zweite hat einen Bottich voll leckerer Buttermöhren. Und der dritte bringt einen Eimer mit süßen Schokoladentrüffeln.

»Das ist Erdbären-Essen!«, brummt der dickste Bär.

Erdbeerinchens Gäste sind begeistert. »Was für ein Festschmaus!«, quietscht Dina Vergissmeinnicht. Igel Zetti läuft das Wasser im Mund zusammen. »Hmm ... lecker, Kartoffelbrei!«

Die drei Bären tun allen Gästen Speisen auf. Und zu trinken gibt es Rettichbowle. Die schmeckt fantastisch!

Dann machen sich alle über ihre Teller her. Es wird geschmaust und geschlemmt bis in die Nacht hinein. Ein solches Festessen gab es im Erdbeergarten noch nie! Und die Feenkönigin säuselt: »Erdbeerinchen, du hast dich mal wieder selbst übertroffen! Das war eine tolle Idee, mit den Erdbären das Essen zu tauschen! Darauf wäre ich nie gekommen! So ein Erdbärfest gab es in den Feengärten noch nie!«

Und Erdbeerinchen Erdbeerfee bekommt vor Freude ganz rote Ohren.

Stefanie Dahle

Zauberhaft, Erdbeerinchen Erdbeerfee!

Erdbeerinchen, die kleine Erdbeerfee, und ihre Freunde Igel Zetti, Bibo Schmetterling, die kleine Maus Schnupper und Rudi Schnecke erleben ein spannendes Abenteuer nach dem anderen.

Wie gut, dass Erdbeerinchen für alle Fälle ihren Zauberstab hat, damit hilft sie allen aus der Patsche.

Arena 56 Seiten • Gebunden
Mit farbigen Illustrationen und Bücherbärfigur
am Lesebändchen
ISBN 978-3-401-09984-2
www.arena-verlag.de

Stefanie Dahle
Erdbeerinchen Erdbeerfee

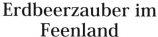

Erdbeerzauber im Feenland

Alles voller Sonnenschein

Oh, ein Wettbewerb rund um die schönste Erd-beer-Idee – da muss Erdbeerinchen Erdbeerfee natürlich mitmachen! Schwupps!, hüpft sie in ihren roten Ballon und segelt mit Bibo Schmetterling und Feenkind Trudi direkt in ein spannendes Abenteuer. Ob sie wohl rechtzeitig zum Wettbewerb im Feenland ankommen wird?

Erdbeerinchen Erdbeerfee ist wieder da – mit einem ganz besonderen Bilderbuch-Abenteuer: Erdbeerinchen muss umziehen! Denn ihr Erdbeerfeld ist vom vielen Regen plötzlich komplett überschwemmt. Doch zum Glück findet sie mit der Hilfe ihrer Freunde ganz schnell ein wunderbares neues Zuhause für sich und ihre Erdbeerpflänzchen!

Arena

32 Seiten • Gebunden
ISBN 978-3-401-70161-5

32 Seiten • Gebunden
ISBN 978-3-401-09999-6
www.arena-verlag.de

Stefanie Dahle

Erdbeerinchen Erdbeerfee
Ein lustiges Froschkonzert und andere Vorlesegeschichten

Mit Erdbeerinchen Erdbeerfee wird jeder Tag zu einem kleinen zauberhaften Abenteuer. Für die Schnecken organisiert Erdbeerinchen eine lustige Rutschpartie im Erdbeergarten. Zusammen mit Igel Zetti kuriert sie den Chor der Frösche vom Halsweh, damit er für die Feenkönigin singen kann. Und von ihren Freunden bekommt die kleine Erdbeerfee ein tolles Überraschungsfest. Alles Gute für dich, Erdbeerinchen!

Arena

88 Seiten • Gebunden
Mit farbigen Illustrationen
ISBN 978-3-401-70411-1
www.arena-verlag.de

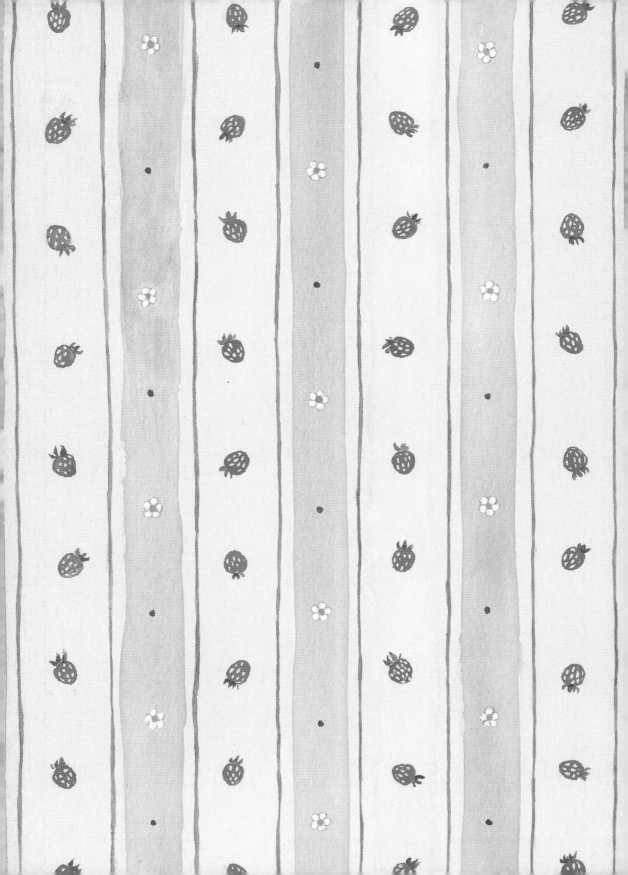